190

Écrit par Odile Limousin
Illustré par Béat Brüsch

Conseil pédagogique :
Madame Braichet-Moerel, présidente nationale
de l'Association Générale des Instituteurs et Institutrices
des Écoles et Classes Maternelles Publiques.

Conseil éditorial :
André Leconte, papeterie Arjomari.

ISBN 2-07-039707-6
© Éditions Gallimard, 1984
1er dépôt légal: Août 1985. Numero d'édition: 38372
Dépôt légal: Septembre 1986
Imprimé à la Editoriale Libraria en Italie

GALLIMARD JEUNESSE

L'histoire de la feuille de papier

DÉCOUVERTE BENJAMIN

Avec quoi fabrique-t-on le papier ?
Le plus souvent avec du bois.

Si tu déchires une feuille, tu
peux remarquer de
tout petits fils :
ce sont des fibres de bois.

Que peux-tu faire
avec du papier ?

Ecrire, dessiner, jouer en le pliant ou
en le découpant. Le papier sert aussi
à fabriquer des livres, des
journaux, des affiches,
des cartes postales,
ou des cahiers et
bien d'autres choses.

Reconnais-tu tous les objets
de papier ou de carton illustrés
dans cette page ?

Le papier ? Il en existe de toutes les sortes, pour tous les usages. Il peut être de belle qualité, **lisse ou rugueux** pour les dessins que tu peins, **fin et léger** pour les lettres que tu écris. Il est **absorbant** comme une éponge pour les couches des bébés, **doux** comme du velours pour les mouchoirs.

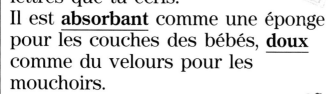

Il est **filtrant** pour emprisonner les petites feuilles de thé dans l'eau tout en laissant passer leur parfum, **imperméable** pour éviter que les yaourts, les jus de fruits et tous les liquides ne coulent de leur emballage.

Il est **inimitable** pour éviter la fabrication des faux billets, **résistant** pour emballer et protéger les colis.

Le carton, c'est aussi du papier !
Il se fabrique en assemblant plusieurs feuilles comme sur ces trois dessins.

 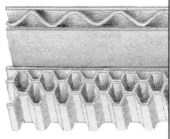

Il permet de transporter les choses fragiles ou lourdes. Il est si solide qu'on peut en faire des cartables, des boîtes, des caisses, des tables ou des chaises.

Mais attention au feu ! Papiers et cartons s'enflamment facilement !

Le papier n'a pas toujours existé.

Les hommes de la Préhistoire peignaient les murs de leurs grottes avec des terres de couleur. Durant l'Antiquité, on écrivait sur tout ce qui pouvait se conserver longtemps : os, écorces de bois, coquillages ou carapaces de tortue, poteries ou murs et colonnes des temples.

Silex pour graver l'os.

Dans cet atelier à Rome, les inscriptions étaient gravées dans la pierre, lettre par lettre. Les Romains écrivaient aussi sur des tablettes recouvertes de cire. Ce travail était long et délicat.

Les archéologues ont retrouvé des vases, des statues et des tablettes ornés de textes.

L'invention du parchemin a permis la fabrication des premiers livres.

En Asie Mineure, les habitants de la ville de Pergame mirent au point une technique de séchage des peaux de veau, de mouton, de chèvre ou de

gazelle. Les peaux étaient épilées, raclées, tendues, séchées et polies à la pierre ponce. Les membranes obtenues étaient fines, lisses et souples, mais assez résistantes pour supporter qu'on y écrivît sur les deux côtés.

Au Moyen Age, livres et rouleaux de parchemin étaient si précieux qu'ils furent conservés dans les bibliothèques, enchaînés aux rayons.

Voici l'Égypte, 1800 ans avant Jésus-Christ. Pinceau à la main, le scribe dessine des hiéroglyphes sur **un long rouleau.** Il est fabriqué avec une plante qui s'appelle **papyrus.** C'est une espèce de roseau qui pousse sur les bords du Nil. La tige est écorcée, puis coupée en fines lamelles. Elles sont superposées puis martelées pour être aplaties et former

une feuille qu'on laisse sécher sous un poids.
Le rouleau du scribe s'obtient en collant bout à bout plusieurs de ces feuilles.

C'est de papyrus que vient le mot papier.

Sais-tu que le plus ancien fabricant de papier est une guêpe?

Son nid est construit tout en carton. Elle arrache des fibres de bambou qu'elle ramollit avec sa salive pour en fabriquer une bouillie. En séchant, celle-ci forme des cloisons très rigides. On raconte qu'un Chinois, Tsaï-Lun, inventa le papier en observant les guêpes. En broyant des morceaux de bambous et de mûriers, il obtint une pâte liquide. Il la filtra et la laissa sécher. **Ainsi naquit la première feuille de papier.** Cela se passait en Chine, en l'an 105 après Jésus-Christ.

La pâte s'égoutte à travers le tamis, puis sèche au soleil.

Les fibres entremêlées ont formé une feuille de papier.

Le papier traverse le monde.

Pendant sept cents ans, les Chinois gardèrent leur secret. Mais en 751, au cours d'une guerre, les Arabes firent prisonniers des papetiers chinois qui leur transmirent leur métier. Les Arabes améliorèrent la fabrication du papier en utilisant des chiffons de chanvre, de coton et de lin. Bientôt, les Califes, rois de l'empire arabe, possédèrent les plus grandes

bibliothèques du monde. Le papier leur servit aussi à envoyer des messages urgents transportés par des pigeons voyageurs.

Au Moyen Age, les Croisés
découvrent à leur tour ce merveilleux
papier qu'ils rapportent en France
à bord de leurs navires.
Partant de Marseille ou de Venise, des
marchands français et italiens font de
grands voyages pour en acheter aux
Arabes, puis ils trouvent plus pratique
et moins cher de fabriquer du papier
eux-mêmes. Un nouveau métier
apparaît, celui du chiffonnier
qui, de village en village,
achète de vieux linges
pour les revendre, à
prix d'or, au moulin à
papier : c'était l'usine
à papier d'autrefois.

Vieilles chemises et pâte à papier !

Au moulin, les chiffons sont triés. On ne garde que les blancs. Les coutures

sont retirées. Puis humidifiés, on les laisse pourrir dans une cave. Ils sont ensuite découpés en fines lanières et mis dans une cuve remplie d'eau. Pendant de nombreuses heures, de gros maillets hachent alors les chiffons en tout petits morceaux qui se mélangent à l'eau. Une pâte à papier très liquide se forme. En ajoutant un peu de colle ou de résine, on obtient une pâte de meilleure qualité.

Le moulin :
Le courant de la rivière fait tourner la roue du moulin. En tournant, la roue soulève de gros maillets.

Naissance d'une feuille.

L'ouvrier plonge sa forme dans une cuve. Il la retire en la secouant pour que la pâte s'étale régulièrement. Une fois égouttée, la feuille encore humide et fragile est placée entre deux épaisseurs de feutre.

Les sandwichs de feutre et de papier sont comprimés entre deux plateaux. Toute l'eau restante s'écoule.

Les feuilles finissent de sécher sur les étendoirs.

Sais-tu qu'aujourd'hui certains beaux papiers sont toujours fabriqués ainsi ?

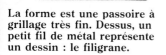

La forme est une passoire à grillage très fin. Dessus, un petit fil de métal représente un dessin : le filigrane.

Le filigrane est la signature des papetiers. Il se voit en transparence car, à cet endroit-là, le papier est moins épais.

Au Moyen Age, les livres sont rares et chers; ils sont tous écrits et illustrés à la main par des moines. Tout change lorsque Gutenberg  invente, vers 1450, des petites lettres sculptées et moulées dans le plomb et une machine à imprimer.

En peu de temps, un livre est fabriqué en plusieurs exemplaires. Les lecteurs deviennent plus nombreux, mais les papetiers manquent bientôt de chiffons. Au XVIIIe siècle, Réaumur, un savant français, observe à son tour la guêpe papetière et propose de remplacer la pâte de chiffons par de la pâte de bois, encore utilisée de nos jours.

Une imprimerie d'autrefois :
L'imprimeur assemble des lettres pour faire le texte, puis il encre sa plaque de texte avec des tampons et la presse contre une feuille de papier autant de fois qu'il veut d'exemplaires.

Aujourd'hui l'industrie fabrique des millions de tonnes de papier. Il faut abattre des millions d'arbres qui flottent sur les fleuves, ou sont transportés par camion jusqu'à l'usine de pâte à papier.

Semis en pépinière

Comment éviter la disparition des forêts?

Aussitôt abattus, les arbres sont remplacés par de jeunes pousses semées en pépinières. Mais alors, il faut attendre que les petits arbres deviennent grands: le hêtre devient adulte en soixante ans, mais le pin, seulement en vingt ans. C'est pourquoi les conifères comme le pin sont plus souvent utilisés que les arbres feuillus comme le bouleau ou le hêtre.

pin   sapin   bouleau   peuplier

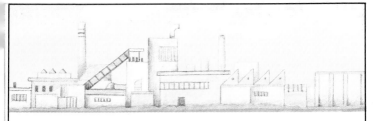

Peut-on fabriquer du papier sans détruire autant d'arbres ?

Vieux papiers destinés au recyclage.

Les savants recherchent de nouvelles méthodes de fabrication avec des plantes qui poussent très vite, comme le chanvre ou l'alfa. Les papetiers utilisent aussi de vieux papiers récupérés : journaux, annuaires téléphoniques...

Une fois recyclée, une tonne de vieux papiers sauve la vie de huit arbres.

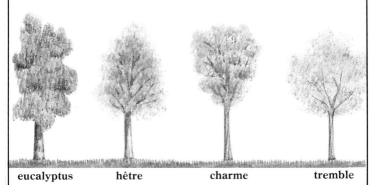

eucalyptus   hêtre   charme   tremble

Regarde du papier journal : il est gris-jaune. Si tu écris dessus, l'encre s'étale comme une tache sur un buvard. Il a été fabriqué avec de **la pâte mécanique** : les rondins de bois sont écorcés, râpés, broyés en minuscules bûchettes qui ramollissent dans l'eau.

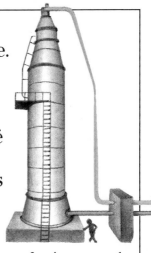

Lessiveuse pour la pâte chimique.

Sur un cahier, les pages sont lisses et blanches, ton stylo glisse, le papier a été fabriqué avec **une pâte chimique**. Le bois déchiqueté en copeaux est cuit à très haute température dans une grande lessiveuse.

Fabrication de la pâte mécanique.

A l'usine.

Les machines refont le travail des vieux moulins, mais au lieu de fabriquer les feuilles une à une, elles débitent 800 mètres de papier à la minute. Les opérations sont commandées et contrôlées par ordinateur. La pâte coule sur la table de fabrication qui est un grand tapis roulant (1). Dessous, de petits rouleaux aspirent l'eau. La pâte devient une feuille qui avance sur le feutre (2).

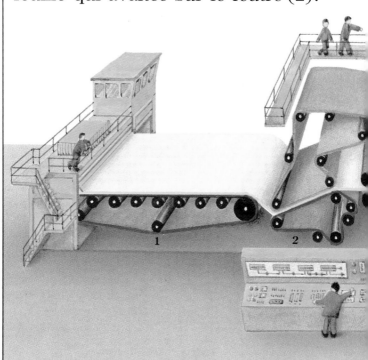

La feuille est amincie entre les rouleaux de la presse (3).
Elle est séchée entre les cylindres chauffants (4). Elle est lissée pour avoir partout la même épaisseur (5). L'immense feuille est alors enroulée sur de grosses bobines (6). Elle peut mesurer jusqu'à 13 kilomètres de long. Sais-tu qu'il a fallu à peu près une bûche pour fabriquer le papier qui a servi à faire ce livre.

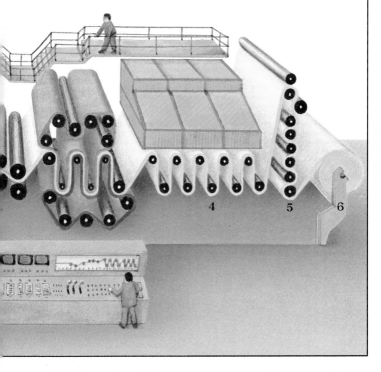

vieux journaux　　　cuvettes　　　colle en poudre pour
papier peint.

Le papier mâché.

Déchire en petits
morceaux de longues
bandes de journaux.
Laisse-les ramollir
toute une nuit
dans une cuvette d'eau
chaude. Le lendemain,
verse 4 verres d'eau
dans un grand bol et
saupoudre d'une
cuillère à soupe de
colle, tout en remuant.
Sors le papier et
presse-le en petites
boules, puis mélange-

Moules creux ou couvercles de petites boîtes.

les avec la colle
pour obtenir une pâte
lisse. Avec un coton
imbibé d'huile, graisse
le fond de jolis petits
moules. Remplis-les de
pâte. Tasse et égalise
avec le dos d'une
cuillère. Laisse sécher
au soleil ou sur un
radiateur. Démoule
et décore à la gouache
aux motifs de ton choix.
Passe une couche
de vernis.

Tant de forêts...

« *Tant de forêts arrachées à la terre*
et massacrées
achevées
rotativées
Tant de forêts sacrifiées pour la pâte
à papier
des milliards de journaux attirant
annuellement l'attention des lecteurs
sur les dangers du déboisement des bois
et des forêts. »

Jacques Prévert
La Pluie et le Beau Temps
Gallimard.